Morral de Cuentos

Autores mexicanos para leer y releer

Mariano Silva y Aceves

Ermilo Abreu Gómez

Agustín Yáñez

Andrés Henestrosa

Ricardo Garibay

María Luisa Mendoza

Marco Antonio Montes de Oca

Julieta Campos

Reloj de cuentos

CIDCLI

D.R. © CIDCLI, S.C.
Av. México 145-601, Col. del Carmen
Coyoacán, C.P. 04100, México, D.F.
www.cidcli.com.mx

D.R. © Mariano Silva y Aceves, "Yo vi un
dragón", "Los peces y las vacas",
"El rey y su globo", "El lápiz dorado",
"El rey, los pajaritos y el pato", "Tres
hojas de árbol" y "La sillita baja",
en *Campanitas de plata*, 1925.

D.R. © Ermilo Abreu Gómez, "Doña Estrella
y sus Luceros", en *Tres nuevos cantos
de Juan Pirulero*, 1944.

D.R. © Agustín Yáñez, "Ángel de oro,
arenita del marqués", en *Flor
de juegos antiguos*, 1942.

D.R. © Andrés Henestrosa, "Conejo
agricultor", en *Los hombres
que dispersó la danza*, 1929.

D.R. © Ricardo Garibay, "El humito del
tren y el humito dormido", 1985.

D.R. © María Luisa Mendoza, "El día
del mar", 1985.

D.R. © Marco Antonio Montes de Oca,
"El niño pintor", 1984.

D.R. © Julieta Campos, "Historia
de un niñito que [...]", 1984.

Coordinación editorial: Rocío Miranda
Cuidado de la edición: Elisa Castellanos
Diseño gráfico: Rogelio Rangel
Ilustraciones:
Rosi Aragón (pp.4, 5, 6 y 9)
Herenia González (pp. 10, 11, 13, 14 y 17)
Richard Zela (pp. 20, 21, 25, 26 y 29)
Jacqueline Velázquez (pp. 32, 33, 35, 36 y 39)
Duncan Tonatiuh (pp. 42, 43, 45, 46 y 49)
Elsa Rodríguez Brondo (pp. 52, 53, 55 y 56)
Miguel Cerro (pp. 60, 61, 63 y 64)
Paulina Barraza (pp. 66, 67, 69 y 70)

Primera edición, abril, 2013
ISBN: 978-607-7749-87-5

Impreso en México / *Printed in Mexico*

Campanitas de plata

Mariano Silva y Aceves

La Piedad, Michoacán, 1887 – Ciudad de México, 1937

Cuentista, novelista, dramaturgo y filólogo; se tituló como abogado y veinte años después obtuvo un doctorado en Letras. Escritor de amplia cultura, fue docente, rector de la UNAM y miembro fundador del Ateneo de la Juventud.

Sus obras: *Arquilla de marfil* (1916), *Cara de Virgen* (1919), *Anímula* (1920), *Campanitas de plata* (1925), de donde fueron seleccionadas las estampas de este libro, y *Muñecos de cuerda* (1936). Buscó despertar en los niños la imaginación y el gusto por la literatura.

Ilustraciones de Rosi Aragón.

El rey y su globo

Éste era un rey que salía en las noches de luna llevando de una hebra un globo blanco que flotaba en el aire y a través se podían ver pasar las nubes. El rey estaba grande rato viendo su globo y midiendo con él el tamaño de las nubes. Después lo llevaba a otra parte y hacía lo mismo. Cuando la luna se metía, el rey recogía la hebra de su globo blanco y se iba a dormir.

Yo vi a un dragón

Era en el atardecer, hacia el Poniente. El sol lanzaba unos destellos vivos al ocultarse en un macizo de nubes ya casi tocando el horizonte. El dragón estaba echado sobre la montaña lejana con la cabeza hundida en las dos gruesas manos y sólo dejaba perfilar sus dos orejas puntiagudas. De pronto arqueó el lomo como un gato que se despereza y una trompa prominente colgó de su nariz, en tanto que la extremidad de su cauda[1] larguísima, caldeada por un fuego de fragua[2], se contraía dolorosamente. En un instante desapareció también, como si hubiera saltado fuera del mundo.

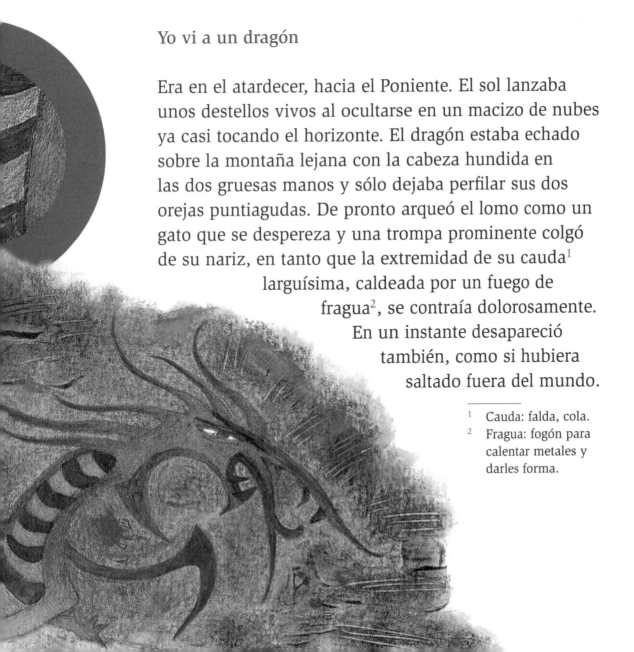

[1] Cauda: falda, cola.
[2] Fragua: fogón para calentar metales y darles forma.

El rey, los pajaritos y el pato

Una vez iba un rey en su coche por un camino muy largo y llevaba de compañeros a cien pajaritos y a un pato para que le contaran cuentos durante el viaje. Mientras el coche caminó, los pajaritos y el pato le contaron muchos cuentos; pero de pronto el coche se detuvo y el cochero vino a cerrar los ventanillos para que el viento no molestara a su majestad. Entonces los pajaritos y el pato se fueron volando y el rey quedó muy solo.

El lápiz dorado

A un señor muy misterioso que tenía un lápiz le decían "el señor del lápiz dorado" y él estaba, al parecer, muy orgulloso de tenerlo. Mucho tiempo después vino a saberse, cuando el misterioso señor había muerto, que todos los libros que escribió sólo en la oscuridad podían leerse porque la escritura de aquel lápiz dorado estaba hecha de luz.

Los peces y las vacas

Una vez se enojaron los peces de un río con las vacas de campo porque éstas bebían mucha agua. Cuando las vacas llegaban a beber, los peces sacaban la cabeza y las injuriaban[3]. Un día que las vacas también se enojaron, embistieron a los peces y muchos de ellos quedaron atravesados en los cuernos de las vacas. Desde entonces aquellas vacas no quisieron beber agua de aquel río y parecían muy pensativas.

---

[3] Injuriaban: agraviaban, insultaban.

Tres hojas de árbol

Un golpe de viento las desprendió de sus ramas y las hizo caer juntas en mitad del camino. Las tres eran amarillentas, pero su tez era todavía sedosa y suave. Una, había nacido en las últimas ramas y sabía del aire que azotaba, de las pesadas gotas de lluvia, de la mudanza de las nubes, del parpadeo de las estrellas. La segunda, vivió en el abrigo interior de la copa del árbol y sólo supo del arrullo de los pájaros y de los movibles rayitos de sol. La tercera, era de las ramas más bajas; escuchó a los amantes y se recreó en el espejo de la fuente. Al verse juntas quisieron contarse sus historias, pero un golpe de viento volvió a separar sus destinos.

La sillita baja

En un rincón escondido de la habitación se había quedado la sillita baja en que el niño acostumbraba sentarse para leer o para dibujar. De pronto entraron en la casa dos gigantes furiosos, que querían destruirlo todo. El niño en ese momento ya estaba sentado en su sillita baja y desde allí pudo ver cómodamente a los gigantes sin ser notado por ellos.

Doña Estrella y sus luceros

Ermilo Abreu Gómez

Mérida, Yucatán, 1894 – Ciudad de México, 1971

Historiador, narrador, dramaturgo, periodista y ensayista, fue uno de los primeros estudiosos de la obra de Juana Inés de la Cruz. Su literatura abunda en temas indígenas, como *Canek*, uno de sus relatos más famosos. Entre sus obras: *La Xtabay* (1919), *Héroes mayas* (1942) y algunos para niños: *Pirrimplín en la luna* (1942), *Cuentos para contar junto al fuego* (1959) y *Tres nuevos cantos de Juan Pirulero* (1944), de donde proviene "Doña Estrella y sus luceros".

Ilustraciones de Herenia González.

En una cochera desocupada, y entre las ruedas de un faetón[1] que en un tiempo fue lujo de la familia, vivía una gatita con sus tres gatitos. Lo de gatita se escribe para no alterar la ley de los cuentos. Pero ha de saberse, porque es justo que la verdad no sufra mengua que nuestra gatita era, en realidad, una gata mayor, lo que se dice una señora gata. Se llamaba Estrella, porque era blanca y lucía como si de veras tuviera lumbre en los ojos. Sin duda era una gata primorosa. De su vida íntima, por discreción, vale más no decir nada, aunque si algo se dijera de ella no sería distinto a lo que podría decirse de todas las gatas de todo el mundo. A buen entendedor pocas palabras. O dicho de otra manera: vale más no meneallo[2]. En tres eneros había tenido tres maridos de quienes no tuvo familia. Las comadres dicen que por culpa de ellos. Este punto no está averiguado

---

[1]   Faetón: carruaje antiguo de cuatro ruedas, descubierto, alto y ligero.
[2]   Meneallo: menearlo, moverlo.

y ni falta hace que quede claro. Los gatitos que ahora adornan su hogar los tuvo de un cuarto marido, muerto ya de resultas de una discusión política. Sucedió que los gatos del tejado de doña Casilda eran partidarios de la República; mientras los del tejado de doña Clodomira eran partidarios de la monarquía. Es claro que el cuarto marido de nuestra gata, que por cierto se llamaba Marito —como el de Antoniorrobles—, era de abolengo liberal y partidario de los republicanos. Era, además, miembro del Comité en el que se ventilaba la línea política que debía seguirse. Lo que se llama era un gato aguzado. Las discusiones en asambleas nocturnas y bajo la luz de la luna no dieron ningún resultado. El frente popular que se pretendía fracasó. Nadie se avino con nadie; la escisión[3] fue cada vez más enconada[4], y las hostilidades se rompieron. Don Marito pereció en una refriega. Así quedó, pues, viuda doña Estrella y huérfanos sus tres gatitos o sea sus tres luceros. Como señora de experiencia no quiso que el amor volviera a llamar a sus puertas. Abandonó el barrio aristocrático en que hasta entonces había vivido y buscó lugar más sosegado. Fue así como dio en la cochera de que se habla. Era la cochera de una casa honorable venida a menos. No había en la casa sino unas mujeronas tiesas, solteras, agrias, enemigas del hombre mas no de los hombres. Cuando doña Estrella se estableció en la casa, las tales hicieron gran rebumbio[5], la mimaron, la peinaron, la sobaron y hasta tuvieron la impertinencia casi criminal, de bañarla con agua. Cosa que, como se sabe, está prohibido por la ley gatuna desde los tiempos del célebre Misifú. Ellas, ignorantes, no midieron su aberración. De los gatitos recién nacidos hicieron inventario y reparto.

---

[3]   Escisión: rompimiento.
[4]   Enconada: muy reñida.
[5]   Rebumbio: ruido retumbante.

—Éste, dijeron, será para la niña Juana Inés, la hija de la señora Ninfa. A ver si así nos deja tranquilos con su piano. Este otro será para Alfa, la del piso de arriba. Este otro para Mireya, la mujer de aquel terrible señor que todas las noches llega a su casa cantando canciones revolucionarias.

Hecha la distribución y como vieron que la vida de doña Estrella y sus críos hacía imposible la vida del estrado, decidieron trasladar a la familia gatuna a la cochera donde la hemos encontrado.

Y sucedió entonces que los gatitos —en tanto que, conforme a la ley, pasarían al servicio de aquellas encopetadas gentes—, quisieron salir a husmear por

el mundo. Antes no se habían atrevido sino a sacar las narices por entre las rendijas de la puerta. El frío que se les pegaba en las orejitas les hacía pensar que afuera la cosa era terrible. Alguna vez asomaron por la ventana, pero la miraron tan alta que decidieron abandonarla. Por la azotehuela, es claro, ya habían hecho algunos desaguisados. De cazar ratas todavía no se hablaba en serio. El mayorcito una vez estuvo a punto de coger una que osó pasar casi rozando sus bigotes. El susto que se llevó. No la cazó porque, en primer lugar, no había testigos para consumar el hecho. Las ley gatuna exige que la primera rata que se atrape debe hacerse delante de gente calificada. Además no había averiguado por dónde era permitido coger a la víctima: si por la cola o por la cabeza. Él sabía que existían, sobre este particular, largas discusiones jurídicas que empezaron en una de las Partidas[6] que escribió un rey español. El asunto no estaba decidido todavía. Pero ya basta de pormenores. El caso fue que los gatitos, impacientes por conocer el mundo, una tarde se acercaron a doña Estrella, que escribía en sus ratos de ocio que eran los más del año, un largo poema en el que cantaba las glorias de la fidelidad. (Ya se sabe que la memoria gatuna, en materia de amor, es frágil). Se acercaron, pues, a doña Estrella y le pidieron permiso para salir. Doña Estrella reflexiva, les dio permiso; pero antes de franquearles el postigo[7], les hizo mil recomendaciones. Al mayorcito, que algunos chicos de la calle ya habían bautizado con el eufónico[8] nombre de Gari —en recuerdo de un héroe que había vivido en la localidad—, como ya estaba en edad de merecer gata, le dijo cosas que el chico fingió no conocer tapándose

---

[6] Partida: documento que contiene una ley.
[7] Postigo: puerta pequeña dentro de otra puerta o ventana.
[8] Eufónico: de sonido agradable.

la carita con las patas. Los otros dos gatitos, que sabían más que el mayorcito, se rieron mucho. Ellos estaban enterados de que el Gari había ya enamorado a todas las gatitas de la vecindad. Pero ya se ha vuelto a alargar este preludio. El caso fue que los gatitos, con el permiso que obtuvieron, salieron a la calle. Salieron melindrosos, como niños de familia decente. Caminaron pegaditos a la pared. Buen rato estuvieron sólo dedicados a mirar y oír. Si maullaban lo hacían con tanto comedimiento que más parecía oración o bostezo de beata distraída. A poco una osadía los empujó fuera de la acera. De un salto tuvieron que subirse otra vez a la banqueta. El coche del alcalde pasó como un diablo. Junto al quicio de un zaguán se acurrucaron. Nuevo susto. Cerca estaba un perrazo que husmeaba. Ateridos de miedo caminaron un poco más y se refugiaron junto al caracol que adornaba una casa. Al gatito menor, aunque algunos lo niegan, le pasaron, en ese momento, ciertas ocurrencias, de ésas que comprometen la buena educación, mas como dejó huellas visibles no se le puede excusar de manera absoluta. De pronto se abrió una puerta de enfrente. En el fondo se veía todo negro, como agujero engrandecido. Dentro de él, si acaso, alumbraba una lucecita que pendía de un candil. ¿Qué sería aquello? ¿Qué podía ser? Había que averiguarlo. Y nuestros gatitos decidieron averiguar de qué se trataba. De un salto atravesaron la calle. Llegaron a la puerta que resultó ser la entrada de la noche. No estaba mal. El carbonero estaba todo cubierto de tizne; sólo le brillaban los dientes y los ojos. Entraron en silencio sin que nadie les saliera al paso. ¡Qué alegría sintieron los tres al verse libres y dentro del misterio de una aventura! ¡Subieron sobre un saco de carbón, luego sobre otro, después sobre otro, en seguida sobre otro! Se dejaron caer que era un gusto. Volvían a subir y a subir hasta lo más alto. Bajaban unas veces de cabeza; otras rodando como pelotitas de algodón. Aquello era la dicha. Casi era el paraíso. Era más emocionante que tener por ama a María Asúnsulo o a Virginia Field. Así estuvieron horas y horas. De pronto vieron que afuera también todo se veía negro. Aunque listos tardaron en comprender que ya era de noche. ¡Qué barbaridad! Se les había hecho tarde. ¡Con qué cara se iban a presentar a la buena doña Estrella! De seguro que los recibiría con una paliza. Se miraron azorados y en dos saltos estuvieron junto al portón de la cochera. Tímidos, con las patitas, tocaron sobre la madera:

—*Cop*, *cop*.

—¿Quién?

—Nosotros.

—¿Quiénes son nosotros?

—Nosotros, tus gatitos.

—¿Mis gatitos?

—Sí, mamá, tus gatitos.

—¿A estas horas mis gatitos en la calle?

—Se nos hizo tarde.

—¿Será cierto? Si es cierto, muéstrenme las patitas…

—Los tres metieron las patitas delanteras por entre las rendijas de la puerta.

—¡Horror! ¡Por el dios Misifú y por la virgen Zacapilda, largo de aquí sinvergüenzas! Mis gatitos son blancos, blanquísimos, no negros.
¡Largo de aquí!

Los gatitos, espantados, no se habían dado cuenta de que estaban negros de tizne como el carbonero. Temblando de miedo se acurrucaron cerca de la pared. En eso empezó a llover. Los tres se morían de frío. La lluvia les escurría por el lomo. Goteaban sus colas. No aguantaron más y volvieron a llamar:

—*Cop, cop*.

—¿Quién?

—Tus gatitos, mamá Estrella.

—A ver, entonces, las patitas.

—¡Grises! ¡Grises! ¡Ladrones! ¡Asesinos! Quieren robarme. Denle gracias al dios Zapirón que mi difunto marido esté en la gloria, porque entonces ustedes estarían muertos. ¡Atrevidos! ¡Lárguense de aquí! ¡Sepan que mis gatitos son blancos como la nieve! ¡Lárguense de aquí!

Los tres gatitos, más asustados que nunca, se fueron otra vez y se acurrucaron donde pudieron. Arreciaba la lluvia. Los tres procuraron calentarse pegándose el uno junto al otro. Con tanta agua se les deshizo hasta la última brizna de carbón.

—*Cop, cop*.

—¿Quién?

—Mamá Estrella, no podemos más. Somos nosotros. Nos morimos de frío.

—A ver las patitas. ¡Ah, sí, patitas blancas sólo mis lindos luceros las tienen! Pasen, pasen, caliéntense junto al fogón, mientras les hago una tizana de hojas, de canela, de ciruelas y de ron…

Los tres gatitos entraron avergonzados de lo que habían hecho y se refugiaron, temerosos, sin saber qué pensar. El mayorcito dijo así.

—No te volveremos a desobedecer, mamá Estrella.

—Nunca, nunca —añadieron los otros dos.

Pero mamá Estrella, que sabía cosas del alma infantil, porque, en cierta ocasión, visitó la biblioteca de una maestra llamada Berta, fingiendo ignorarlo todo, dijo:

—Nunca mis gatitos me han desobedecido, nunca. A cualquiera le coge un aguacero fuera de la casa.

Está de más decir que los tres gatitos, antes de acostarse, puestos de dos pies, que es la manera que tienen los gatos de arrodillarse, le prometieron a la virgen Zacapilda no volver a desobedecer a la buena de doña Estrella, su ilustre mamá.

Ángel de oro,
arenita del marqués

Agustín Yáñez

Guadalajara, Jalisco, 1904 – Ciudad de México, 1980

Es uno de los escritores mexicanos más reconocidos de este siglo porque su obra, junto a la de otros escritores, abrió las puertas de la modernidad a la literatura del país. Estudió Derecho y Letras. Ocupó diversos cargos institucionales, como el de gobernador de su estado. Algunas de sus obras: *Al filo del agua* (1947), *La tierra pródiga* (1960) y *Las tierras flacas* (1962). "Ángel de oro, arenita del marqués", narración que evoca el mundo de la infancia, fue tomada del libro *Flor de juegos antiguos* (1942).

Ilustraciones de Richard Zela.

La calle sola. Media mañana. En las iglesias del centro, lejos, todavía llaman las campanas a misa. Son como las once, un día entre semana. En la escuela, habrá pasado el recreo y los muchachos estarán en las "lecciones de cosas" tan aburridas. Con todo y eso, mejor quisiera estar en la escuela. Ya no hallo qué hacer con los días tan largos, con las mañanas inacabables, no más esperando que salgan los muchachos y vengan a jugar. Si hubiera sabido, ningún gusto me diera cuando el médico —qué bueno se me hizo entonces— dijo que faltara a la escuela. Bonito que faltaran también todos los muchachos del barrio, como los sábados, como los días de fiesta. Pero yo solo, que saco los títeres, que salgo a la calle, que entro otra vez a jugar con los gatos, que vuelvo a salir a la calle, veo pasar la gente, pinto un bebeleche[1] en la banqueta, tiro las canicas; qué chiste yo solo…

---

[1] Bebeleche: dibujo en el piso para jugar saltando, también llamado avión o rayuela.

Vuelta a la casa. Toca el abonero, pita el afilador. Salgo a la curiosidad. Me aburro. Y ojeo los monitos de un libro, les pongo bigotes y barbas, los pinto de color.

Le pido a mi mamá un centavo.

Salgo a la tienda. Compro un caramelo.

Veo el reloj. Como de adrede, en estos días no ha habido en el barrio nada que llame la atención: los gendarmes[2] pasan como muy aburridos, sin quehacer; nadie se muere o se casa; no ha venido el convite[3]; los camiones de la Sección Médica, con su chillido que da miedo, pasan a muchas cuadras, quién sabe para dónde, lejos; veo a las mismas gentes de siempre, con sus mismos vestidos; arrecia el frío; a la hora de almorzar ha dicho mi papá:

—Este año el frío va a ser terrible.

—Sí —ha dicho mi mamá—. Será bueno que veas si puedes comprarles a los muchachos unos suetercitos y medias gruesas que ya no tienen.

Mi papá guarda silencio; un jarro de agua y sale al trabajo.

Cuando ya muy tarde pido mi centavo, ha dicho mi mamá, como hablando sola:

—Decía mi padre que el sol es la cobija de los pobres.

Y he salido al sol, a matar las horas como moscas.

Pienso en aquel santo que colgaba su capa en el rayo del sol. Pienso en los microbios que se ven por el rayo del sol. Veo pasar las gentes, que prefieren la acera en que hay sol. En todo esto me entretengo cuando, por la bocacalle, oigo un zumbido espeso, no muy ruidoso, y luego van saliendo, poco a poco, en procesión, muchos guajolotes y el arreador, que les chista con un

---

2 Gendarme: policía.
3 Convite: invitación.

chirrioncillo[4] de cordel; algunos dejan de picar el suelo y se ponen fachosos, muy tiesos, esponjándose; chillan moviendo la cabeza y el gran buche; algunos siguen el ejemplo; pero se aburren y vuelven a picar el suelo, como gallinas humildes, grandotas. Y entro a la casa, corriendo.

—Mamá, mamá, los guajolotes.

—Qué bueno que pudiéramos comprar uno para la Nochebuena —dice mi mamá, en el lavadero, con las mangas remangadas, sin dejar de lavar. (Mi mamá tiene una voz triste). En esto me acuerdo de que los guajolotes pasan —claro— por estos días de Nochebuena. Mi mamá me dice:

—Dentro de quince días es Navidad —y se quita con el mandil unas espumas de jabón que le saltaron a la cara; vuelve a callar y a lavar. Yo le digo:

—Quisiera ir con mis primos a sacar las cosas de Nochebuena.

—A ver si en la tardecita, después de planchar, te llevo —me contesta mientras restrega aprisa y con fuerza una sábana de manta gruesa.

Corro a la calle. Algunos vecinos han salido. Petrita, la de la casa de tres ventanas, compra un guajolote después de mucho regatear. No más ella. La procesión da vuelta y en la esquina todavía voltea el arreador para ver si alguien le habla. Otra vez queda la calle sola, igual que todos los días, y el tiempo pasa en aburrimiento. Entro a ver la historia sagrada; pero me pongo a pensar en la casa de mis primos; a mi mamá no le gusta llevarme allí, seguido, porque dice que son ricos y no quiere que algún día nos afrenten; a mí sí me gusta ir; todos los chicos jugamos en la huerta, mientras los grandes platican en el corredor; y cuando nos cansamos, cuando me canso, busco a la

---

4   Chirrioncillo: látigo.

tía Paz que me enseña sus cosas o me cuenta historias.
Bonitas cosas en la recámara de mi tía Paz: unos mantones
de flores muy coloradas y adornos morados y verdes, del
tiempo de los virreyes; unas reliquias y de cuando fue a
Tierra Santa: nomeolvides del huerto de los olivos, arenitas
del Río Jordán, una cruz de madera de Nazaret, un
escapulario de lana de borreguitos de Belén; aquel abanico
de marfil que llevaba al teatro en París; aquellas crinolinas
que se usaban antes; ¡y tantas fotografías! Todo con un
perfume viejo, con una limpieza. Ella misma, tía Paz, tan
pálida, con sus manos largas, con su voz despaciosa y
musical, con sus manos que vuelan por el piano tocando
como a nadie he oído tocar, con su voz que cuenta
historias como a nadie he oído contar, por estos días de
Navidad comienza a sacar las cosas del nacimiento, las
güíjolas[5] de plata y los panderos españoles; ella misma
toca el pandero. (Qué bonito, en la tarde entre los árboles,
da el sol en la casa de mis primos cuando va llegando la
Nochebuena; qué bonito el sol de oro entra por la ventana
a la recámara de mi tía Paz). Me gusta más que todo el
mundo ir ayudando a limpiar el polvo a la Virgen, a San
José y al Niño; cargar, del mercado, la canasta con musgo
y heno; colgar, en toda la casa, los faroles de Venecia.
(Una noche que vinimos a las posadas, de vuelta en mi
casa, medio dormido, casi en sueños, oí que contaron
por qué mi tía no se había casado y lo mucho que había
querido a un hombre, marinero de Francia, y lo mucho
que la mortificaron por esto. Casi fue un sueño. Pero
desde entonces la quiero más, más). No hay en el mundo
una mujer más bonita, más elegante, más instruida y más
buena que mi tía Paz; ella sabe por qué en el nacimiento
las estrellas han de ponerse donde las pone, y la cueva

---

5   Güíjola: silbato de metal que funciona con agua.

del ermitaño cerca de la boca del infierno, y Jerusalén entre los reyes magos y el portal del nacimiento.

(Nadie más que yo sentí mucha tristeza, la primera tristeza que he sentido, cuando una tarde estábamos jugando al:

Ángel de oro, arenita del marqués,
que de Francia he venido
por un niño portugués

y ella, al oírnos, hizo un gesto como si le pusieran una inyección, y nos dijo, siempre muy suavemente: mejor jueguen otro juego. Yo luego, luego, comencé a cantar, y todos me siguieron:

A la feria de San Miguel
todos traen su caja de miel;
a lo duro, a lo maduro,
que se voltee Ezequiel de burro.

Ella hizo un gesto suave, para mí, casi una risa como esas mujeres que se ríen pintadas en los cuadros que trajo de Roma y a mí tanto me gusta ver. Risa suave, de dentro; como pintada). A veces me da una especie de miedo parecido al de pensar cuán hondo se ahogan los que caen al mar o cómo se mataría el que resbala de lo más alto de las torres de la catedral, y es cuando me pongo a querer entender la risa, y los silencios, y las miradas sin pestañear, y la voz de campana, y la seriedad de espejo, y la frente alta, y el cabello quebrado, y la tristeza, y la dulzura de mi tía Paz. Yo quisiera llevarle esta tarde, como pastor de nacimiento, uno de los cóconos[6] que acaban de pasar, y haría que delante de ella se entiesara y esponjara en abanico las plumas de la cola. (Aquel día, después de jugar a la feria de San Miguel, entré a escondidas en la recámara de mi tía, me puse a oler las flores del buró, las carpetas, las almohadas; debajo de éstas encontré un libro, lleno de violetas desecadas; lo abrí: creo que estaba en francés; la primera hoja tenía unos garabatos con tinta vieja y apenas pude entender "ángel" "niña" "hermosa", hubo un ruido y cerré aprisa; tenía sueño; me quedé dormido y vino a jugar mi tía Paz conmigo solo: ya no se enojó cuando canté:

Ángel de oro, arenita del marqués,
yo de Francia he venido
por un niño portugués.

---

6 Cócono: guajolote, pavo.

Como no se enojaba y era igual a mí —no sé si ella tan chica o yo tan grande—, le tomé una mano al tiempo que me puse a cantar:

Yo a ésta me la llevo
por linda y hermosa
parece una rosa
acabada de nacer...

Ella me despertó, pasando su mano de cristal tibio sobre mi cabeza pelona:

—Te anda buscando ya tu mamá porque se quiere ir.

Sentí mucha vergüenza de haberme acostado en su cama, pero más cuando me acordé del sueño, y peor que en lugar de regañarme sacó una estampita y me la regaló. Afuera, el sol parecía una lámpara de sangre, la tarde era tibia, yo tenía ganas de correr al cielo, de subir a los árboles, de detener las nubes, de bañarme en el estanque, de ser bueno y seguir cantando por toda la eternidad, en la calle, a todas las gentes:

parece una rosa
acabada de nacer.

Pero se hizo más noche que otros días. Apenas serían las seis de la tarde).

Después de comer le digo a mi mamá:

—¿Siempre vas a llevarme a casa de mis primos?

—Será otro día, porque tengo que planchar también la ropa de mi comadre que sigue enferma.

Lo peor es que no han de servirme los lloros, las patadas y que me muerda los labios hasta sacarme sangre. Me meto bajo la cama. Allí pasaré la tarde llorando, mordiéndome, acordándome. Pero entre la cortina de lágrimas brilla el sol de la huerta y los

corredores de la casa grande; oigo, entre los helechos,
la voz de mi tía que me habla. Yo iré. No me perderé.
Sí iré. Será la primera vez que salgo solo. Como hombre.
Hombre: del mismo tamaño que mi tía, no muy alto.
Hombre: con bigotes, como antes, en los retratos que
guarda mi tía…

—Voy aquí a la puerta —digo humildemente.

La puerta, la calle, la esquina, la vuelta, los robachicos.
Alto. Los robachicos. Enderezo la cabeza, chiflo,
taconeo: adelante. Calle de González Ortega, calle de la
Preciosa Sangre, calle de Arista… un hombre greñudo,
los robachicos, taconeo y chiflo más fuerte; calle del
Sarcófago…   no, allá viene la comadre de mi mamá;

rodeo la manzana; cuidado con el tranvía; no piso los rieles porque una vez se quedó atorado un señor, vino el vagón y lo mató; me tiembla el corazón; faltan tres cuadras; corro.

Está abierta la puerta y el cancel también. Ladra Nerón, pero me conoce y se pone a jugar conmigo. Por el corredor, sí, sus pasos chiquitos, fuertes, como música. Me ahogo:

—Tía Paz…

—¿Dónde está tu mamá?

—Vine a ver si ya ibas a sacar las cosas del Nacimiento. Ya pasaron los cóconos por la casa…

—¿Dónde está tu mamá?

—Yo vine solo.

—¿A escondidas?

Por mí contestan los colores de la cara que agacho. Así como Adán.

—¡Si te hubiera sucedido algo! Cómo estará de pendiente tu mamá. ¡Qué muchachito, qué muchachito éste! —Y se puso a gritar:

—Victoriano… Victoriano…

Vino Victoriano, el mozo, y le dijo:

—Vas a llevar a este niño a su casa, con cuidado de los tranvías. Y dirigiéndose a mí:

—En castigo de haberte venido sin permiso, este año no me ayudarás a limpiar las figurillas y adornos del nacimiento. Lo malo es dar los primeros pasos inconvenientemente. No lo vuelvas a hacer, porque dejaré de quererte. Si de aquí a las posadas me informo que te portas bien, llevarás en andas a los santos peregrinos; de otro modo, también te castigaré con esto.

Salgo del zaguán como nuestros primeros padres salieron del paraíso. Me siento desnudo y con ganas rencorosas de cantar:

Ángel de oro, arenita del marqués,
que de Francia he venido
por un niño portugués...

("Dejaré de quererte").

En el camino me han dicho,
buenos días tenga usted.
Que los tenga o no los tenga,
o los deje de tener...

(Que me quiera, o no me quiera, o me deje de querer).
No, no.

Yo a ésta me la llevo
Por linda y hermosa,
Parece una rosa
Acabada de cortar.

(Que no cargue las andas, que no rompa las piñatas,
pero déjame entrar a tu recámara y enséñame la rosa de
Jericó, dame a oler la casi desvanecida esencia del cedro
de Líbano, rocíame con unas gotitas de agua del Jordán).

—Mira qué entierro tan largo va pasando por la calle
de Mezquitán —dice Victoriano y me baja de los altos
pensamientos en que yo andaba.

Cuando llegamos a mi casa, los muchachos están
jugando a la feria de San Miguel y gritan al verme:

A lo maduro,
que se voltee Agustín de burro.

Mi madre, con cara de tempestad, me toma
violentamente del brazo y me mete en casa.

Conejo agricultor

Andrés Henestrosa

Ixhuatlán, Oaxaca, 1906 – Ciudad de México, 2008

Poeta, narrador, ensayista e historiador de origen zapoteca, aprendió a hablar español a los 15 años. Realizó estudios en la Escuela Normal de Maestros, en Derecho y en Letras. Gran parte de su obra exalta la cultura indígena, recuperó sus fábulas y leyendas, y contribuyó a trascribir el zapoteco al alfabeto latino. Obtuvo alrededor de veinte premios. Algunas de sus obras: *Retrato de mi madre* (1940), *Los cuatro abuelos* (1961), *Sobre mí* (1966), *Los hombres que dispersó la danza* (1929), de donde se tomó "Conejo agricultor".

Ilustraciones de Jacqueline Velázquez.

Cuando la luz arrastró del rancho el camino que la noche detuvo, el buey salió del corral para seguirlo. Pero el camino caminaba hacia el ocaso y el buey sintió cansancio y pisó fuera para entrar al llano. Su amo lo cuidaba como a sus sentidos y le daba de comer con mazorcas de maíz. El buey de este cuento dejó en el camino, lejos del rancho, un grano perdido entre un poco de estiércol.

La lluvia aflojó la tierra y tres días después asomó sus hojas una mata de maíz.

Conejo no vivía cerca; pero conocía, como la trampa, el terreno. Vio la milpa el mismo día, y cuando la tarde se acercó al rancho, Conejo arrimó su casa al camino, junto a la milpa. El sol siguiente no lo encontró dormido; antes que la mañana entrara completa abrió los ojos para barrer su casa, y durante todas las horas que siguieron llegó desde el monte, primero, el ruido del hacha, después el estruendo del árbol derribado: era que Conejo cortaba varales para cercar la milpa. Por allá mismo comió y después, antes de que la noche manchara la tierra, amontonó los postes en torno de la milpa.

La fatiga lo mantuvo toda la noche, sin soñar, sobre la cama.

El tercer día lo vio agujereando el suelo y parando los postes. La milpa estaba al anochecer cercada.

—Ahora —dijo cuando sintió concluida la obra— iré a buscar a mis compañeros para venderles maíz y exigir, adelantado, el precio.

El sueño varias veces fue cortado durante la noche, para pensar quién de todos sus compadres podría comprarle mazorcas; sentía en sus bolsas el dinero y palpaba la cama creyendo hallar junto a sí una de todas aquellas cosas que iba a comprar.

En la madrugada, del rancho corrió, bajo su último sueño, la raya roja del canto del gallo. Conejo abandonó la casa y fue siguiendo el camino que le trazaron los cantos sucesivos.

Las gallinas volaban del árbol en que durmieron y el gallo esperaba en el suelo, cuando Conejo llegó al rancho. Había una con cresta pálida.

—Ésta es clueca[1]. A ella venderé las primeras dos redes—. Se acercó y le dijo:

—Comadre, yo sé: pronto tendrás hijos y te hará falta maíz para alimentarlos. Yo tengo algo de mazorcas. Pensé en ti y, si lo deseas, puedo venderte.

Convencida la clueca, le compró a doce centavos cuatro redes. Al despedirse le dijo su dirección, el nombre del día y el de la hora en que debía presentarse para recogerlas.

De vuelta a su casa, tropezaron sus miradas con el gato montés o gato astuto, como decimos en lengua nativa. Le habló de las excelencias de la carne si se come con tortillas. El gato le compró dos redes. Sin cambiar de

---

[1] Clueca: la gallina que se echa sobre los huevos para empollarlos.

nombre el día que había dejado a la clueca, pero la hora
una más tarde, Conejo se despidió dejando su dirección.

Por aquellos días eran amigos Coyote y Conejo, y
aquél no podía faltar en los planes de su falso amigo;
y Conejo se dio a buscarlo. El sol estaba bien alto y
desmenuzando, el calor caía del cielo. Bajo los árboles
dormían, cansadas, las sombras. Sobre una estaba
echado Coyote. Conejo se acercó y, sin darle razones,
le vendió cuatro redes. El día y el número de ellos sobre
el mes no cambiaron de nombre;
pero la hora fue dos más adelante
que la hora de la clueca.

El tigre ocupaba el cuarto lugar en las mentiras de Conejo y quiso, antes que la noche le impidiera verlo, hablar con él para venderle las cuatro redes que le había asignado. Parecía que todo estaba vigilado por alguno, poderoso, y a favor del mal, cuyo representante era Conejo, porque las víctimas se encontraban fácilmente. El tigre salió a su encuentro alargando su pereza. Venía sin ferocidad y Conejo, en el tiempo en que un hombre comete un crimen, le arrancó veinticuatro centavos. La dirección, el día y la fecha eran las mismas y la hora dos después de la de Coyote.

Su proyecto parecía decapitado, porque la noche cayó sobre el campo antes que el viejo cazador que diariamente lo cruzaba, pasara cerca de su casa. Aquella noche como pedazo de muerte, cayó sobre su sueño y no abrió los ojos hasta amanecer. En la puerta de su casa Conejo se sentó y la dirección de sus miradas cambiaba constantemente. El cazador tenía que pasar y no tardó. De todos, el hombre es quien más necesita de maíz, y el hombre de este cuento compró, por su propio deseo, dos redes. Y rogó que fueran más, pero Conejo le hizo ver que no estaba al alcance de sus manos el engaño.

—Yo podría venderte más, pero sé que no tendré, llegada la hora, suficiente maíz para pagarte.

El cazador le tendió la mano y Conejo, antes de soltársela, le dijo, sin que mudaran de nombre, el día y la fecha, y la hora era la última dentro de sus proyectos.

La fecha estaba lejana y la mata de maíz tuvo tiempo para crecer hasta colgar los brazos fuera del cerco. El mismo buey pasó otra vez por allí y le mascó el cogollo; y una mata de maíz sin cogollo no puede beber agua y acaba muerta. Pero Conejo no tenía por qué apurarse después de haber pensado, toda una noche, el mal que iba a hacer. Así fue que esperó en su casa la fecha en que debían presentarse sus compadres.

Se tendieron al sol varios días y otro se llamaba con el nombre que Conejo había dejado a sus amigos al despedirse; la fecha era la misma y la hora de la clueca avanzaba sin cesar hacia él. Con su hora, seguida de muchos pollitos, llegó la gallina. Al mismo tiempo que la clueca rogaba por él, Conejo pidió a Dios que la guardara; y esto equivalía en esos días a saludar.

—Siéntate. Y mientras descansas oyes esta historia. Y refirió una que la muerte impidió a la gallina transmitirnos.

Conejo habló lentamente, calculando que la historia no fuera más corta que una hora. De pronto dijo:

—Comadre, allá viene el gato montés.

Sabía de sobra que la clueca iba a temblar de terror. Quiso seguir contando, pero la pobre no oía nada, porque toda su atención iba revuelta en la súplica que hacía a su compadre para que la defendiera.

—No temas.

Y fue al rincón y volvió con un canasto grande. La clueca extendió las alas y sus pollitos se escondieron debajo de ellas. Conejo invirtió entonces el canasto. Caminó hacia la puerta y se encontró al llegar a ella, con el saludo del gato.

—Pasa —dijo acercándole el mismo banco para que se sentara. No le contó una historia, sino que se puso a bailar frente a él diciendo chistes.

—Déjate de cosas y dame el maíz, que hace varios días tengo mucha hambre.

—Figúrate, no he podido traer la cosecha, porque hace unos días despedí a mis mozos. Si no te molesta, entre los dos iremos a llenar tus redes. Si tienes hambre, ahí debajo de ese canasto tengo una clueca.

Conejo levantó el canasto y el gato descargó sobre la clueca y sus hijos toda su gula.

En tanto Coyote llegaba a la cita.

—¿Qué haremos? Coyote se acerca.

—Escóndeme, porque ese amigo si me encuentra me mata.

Conejo escondió a su compadre debajo del mismo canasto.

No bien acababan de saludarse cuando el acreedor que acababa de llegar, dijo:

—Vengo por mi maíz.

—Ha llovido mucho y por eso el camino está lleno de lodo, y el lodo es blando y las patas se pierden en la tierra. El maíz pesa y el lodo pesa más todavía. Por esas razones no me ha sido posible traer la cosecha a la troje[2]... No te enojes. Pronto cumpliré mi palabra y mientras, oye esta historia.

Coyote hubiera dormido oyéndola, porque de todos los animales es él quien más gusta de los cuentos, si no fuera porque el hambre le gritaba.

—Bueno, pero yo quiero comer y no puedo esperar más. Y Coyote estaba lleno de enfado.

—Por eso no te apures. ¿Quieres comer el gato que escondo debajo de este canasto?

Coyote, sin contestar, él mismo empujó el canasto y devoró al gato. Se lamía la boca cuando Conejo dijo:

—¿Cómo están de amistad tú y el tigre?

—Muy mal.

—Pues brinca al tapanco, porque el tigre está a unos pasos de aquí.

Y Coyote, pálido de miedo, saltó al tapanco. Antes que el tigre, entró hasta el fondo de la casa su saludo. Conejo devolvió uno más dulce que el que acababa de recibir y dijo, acercándole el banco:

—Siéntate.

—Gracias; pero tengo prisa y no puedo detenerme mucho tiempo.

Conejo dijo entonces una disculpa en cuya elaboración estaba presente todo su talento. Las palabras salían desmayadas y la disculpa tardó largo tiempo en aparecer íntegra.

—Comprendo que traes mucha hambre y, aunque me lastime mucho, te daré mi perro para que te la calme.

---

[2] Troje: construcción para guardar frutos y semillas.

Y el tigre dio fin con el compadre escondido en el tapanco.

El cazador, llevado por sus pasos largos, iba haciendo más corta la distancia que lo separaba de la casa. Cuando más tranquilo estaba el tigre, Conejo dijo asomándose a la puerta:

—¡Dios mío! El cazador viene hacia nosotros. Súbete rápidamente a ese árbol. Yo le diré que por estos rumbos no hay animales que cazar.

Cruzaron el deudor y el acreedor un saludo lleno de amabilidad.

—Vienes por tus mazorcas; ya lo sé. Pero con toda franqueza te digo que mi sembrado lo destruyó un buey. Para que mi culpa sea menos grande, he conseguido detener para ti, desde hace unas horas, a ese tigre.

El cazador levantó la cabeza y vio, sobre las ramas de un árbol cercano, al tigre. Le disparó su fusil y la caza pesadamente cayó a sus pies. La noticia de la muerte del tigre recorrió las rancherías y todos los hacendados buscaron al cazador para premiarlo; aquel tigre devoraba en gran número los becerros. Y cada uno le pagó con una parte de su hacienda aquella acción.

El cazador fue rico. Y perdonó a Conejo la deuda.

El humito del tren y el humito dormido

Ricardo Garibay

Tulancingo, Hidalgo, 1923 – Cuernavaca, Morelos, 1999

Escritor y periodista, estudió la licenciatura en Derecho. Fue profesor de literatura, condujo un programa cultural en televisión y escribió en diversos medios impresos. Cultivó casi todos los géneros periodísticos y literarios, y en ambas áreas obtuvo premios. Algunas de sus obras: *Beber un cáliz* (1962), *La casa que arde de noche* (1971), *Taíb* (1989). Cuando escribió este cuento dijo: "Ahora que estoy viejísimo, veo humos que se aman, hadas que vuelan y estrellas que platican y cantan de noche". "El humito del tren y el humito dormido" (1985), lo escribió especialmente para CIDCLI.

Ilustraciones de Duncan Tonatiuh.

Había una vez, en una suave colina de tierra fría, una casita de techos rojos y chimenea delgada y alta, hecha con piedras de río. Se veía desde mucha distancia, y los caminantes acostumbraban orientarse por la torrecilla, y llegaban al atardecer a fin de descansar la jornada tomando té de hojas de eucalipto, peras asadas en miel y saladas tortas de maíz.

Cuento para Katia, niña tamañita.

La casita era de un hombre llamado Fabián, que cuidaba un bosque y cultivaba un maizal y un huerto de peras duras. También tenía Fabián rebaño de ovejas y cabras, dos vacas lecheras, gallinero bien surtido y perros pastores y cazadores. Vivía con su mujer y sus dos hijos. De sol a sol ella trabajaba en la casa y ellos con su padre en el campo.

Poco antes del Ángelus[1], que puntual llegaba temblando de la aldea con el primer lucero, cuando la luz empezaba a hacerse viejecita, ella encendía el hogar y arrimaba la olla del agua, la de la miel y el comal de los panes; y Fabián y sus hijos emprendían el regreso a la casa.

Colina arriba no veían la casa, pero sí el humo que ya subía, quieto, recto y azul, y olían los girones de aire que

---

[1]   Ángelus: llamado con campana al rezo del mismo nombre al anochecer.

se iban impregnando del amor de las peras. Algo más tarde llegaban uno por uno, ardidos y polvosos, los caminantes del día. Y todos juntos comían, bebían y hablaban poco, hasta que ululaba[2] el tren, y decía Fabián: —Cállense. Van a empezar allá afuera—. Después los caminantes dormían en el establo, y al día siguiente pagaban a Fabián su hospedaje.

Eran felices noche a noche Fabián, su familia y los caminantes, porque aquellas conversaciones afuera, entre las úes[3] melancólicas del tren, sonaban en el aireo rasgadas de música.

Una noche, antes de recogerse, el hijo menor preguntó a la madre: —¿Y van a seguir hablando, para siempre? ¿Verdad que sí?

—Ojalá sí, que así vaya a ser —contestó la madre—; pero quién sabe, si nos vamos nosotros… o si se llevan el tren.

El muchacho se durmió pensando: yo quiero que nunca dejen de hablar, nunca.

Y era que cuando Fabián decía: "Cállense. Van a empezar allá afuera", el humito recto y azul se despertaba…

Subía durmiendo desde que la luz iba alargándose, y ya con las primeras oscuridades se hacía blancuzco y se balanceaba apenas, como hilo colgado del cielo. Entonces cantaba el tren, que era carguero chico y amarillo y pasaba lejos unos doscientos metros rodeando la colina. Cantaba anunciándose y su humo venía veloz y blanco peinando sus greñudas volutas en el helado viento. Pensaba: qué feliz soy cuando la máquina corre como loca.

Ahí se daba cuenta de que iba doblando la colina y gritaba en lo más largo del silbido.

---

2   Ululaba: sonaba.
3   Úes: sonidos de la letra u.

—¿Estás durmiendo?

—No —contestaba el humito de la casa, estirándose gozoso.

—¿Cómo va aquí todo? —preguntaba el humito del tren. El humito del tren se llamaba Ildefonso, y el de la casa, Hilaria.

—Igual que ayer y antier —decía Hilaria y subía lo más posible para ver desde muy alto a Ildefonso, para que Ildefonso, tan rápido y cambiante, no la compadeciera; pero no lograba trepar gran cosa en el espacio intangible, allá abajo en el hogar no daban más fuego y ella era tierna y sutil, como conviene a un humo de merienda. Por eso se oía su voz un poco dolorida—. Igual que ayer

y antier. Comieron y bebieron y han parado de hablar, yo creo que nos están escuchando.

—No pueden —decía Ildefonso—, no saben oír las voces de los humos.

—Éstos sí —dijo Hilaria—, oyen y ven lo que pasa en la tierra y en el cielo. ¿Tu maquinista no te entiende?

—Él sí —dijo Ildefonso—, porque me conoce desde que nació la máquina y se la dieron, y no tiene qué hacer mientras vamos desde la ciudad allá atrás hasta la de adelante, por todos estos términos.

—¿Ya ves? —dijo Hilaria.

—Pues sí —dijo Ildefonso alargándose en la gran curva para rozar siquiera los blancos dedos de Hilaria meciéndose en la noche. Pero era humo de tren chico, no le daban las fuerzas para mucho. Iba acabándose la curva. Tomaba el tren la recta que va de Tzaltzimín a Xihuacán.

—Hoy has ido muy aprisa —gritó Hilaria.

—Mañana vengo —gritó Ildefonso—. Duérmete hasta que pase mañana.

Así era todas las tardes y las noches empezando. No que hablaran eso mismo, sino que hablaban de unas cosas y otras diferentes, y así se habían conocido y enamorado a tal punto que Hilaria dormía hasta que pasaba Ildefonso, e Ildefonso flotaba sin ganas, como tonto hasta que se acercaba la colina.

Lo primero que se dijeron la primera vez fue:

—¿Qué haces ahí tan tiesa? —preguntó Ildefonso, e inmediatamente quedó prendado de la larga y lacia cabellera de Hilaria.

—¿Y tú a dónde vas, por qué corres? —preguntó Hilaria fascinada por la cabellera rizosa y turbulenta de Ildefonso.

Desde esa tarde comenzaron las conversaciones. Él le contaba de pueblos por donde pasaba, de leñadores y arrieros y muchas casas y calles juntas llenas de gentes, y de ríos y de cielos calientes y deslavados. Ella se imaginaba un mundo vasto y confuso, parecido a los hormigueros que alcanzaba a divisar colina abajo, antes de que se pusiera enteramente el sol. Le daba tentación de conocerlo, pero no hallaba modo de desprenderse de la chimenea, de aquellos abrigadores techos rojos que la sostenían. Entonces hacía un gran esfuerzo y aprovechando súbitas ráfagas se balanceaba como columpio o como lienzo muy tenue que flotara en el espacio.

—¡Ven, de doy la mano! —gritaba con amoroso entusiasmo Ildefonso.

—No puedo. Ven tú, quédate aquí —suplicaba Hilaria—. Subiremos en las tardes, oiremos hablar a los caminantes cansados, oleremos el pan de maíz y el perfume de las peras.

Pero Ildefonso no podía quedarse. Su destino era flotar huyendo siempre, siempre en pos de la máquina. Y así vivían y se amaban de lejos; él rizándose sobre bosques y barrancas, ella alzándose en el azul.

Hasta que un día a la misma hora de esa misma mañana el maquinista y Fabián recibieron noticias, malas noticias para el amor de los humos. Y la noche de ese día Fabián y el maquinista hablaron con ellos.

Una vez que el hogar estuvo bien encendido, Fabián subió al tejado y dijo:

—Hilaria, nos vamos.

Hilaria se curvó dolorosamente buscando al hombre, queriendo asomársele a la cara.

—Para mí hace mucho frío aquí arriba, Hilaria; dime algo. He estado pensando pero no se me ocurre nada.

Hilaria llorando se lanzó a los cielos más recta que nunca, sintió el helado viento penetrándola en su quietud, cerró los ojos y esperó. Y aquél dulcemente le sopló a quince grados bajo cero lo que tenía que hacer. Entonces se

curvó graciosamente hacia Fabián que esperaba tiritando,
y le dijo —y su voz era como llovizna de pajas frías
muy menudas y olía a eucalipto y a la hojarasca que se
quemaba en el lar[4]—:

—Cuando oigas el tren haz un fuego grande, echa toda
la hojarasca y echa todas las peras que tengas, que se
asen hasta que se pongan negras y así me alimenten.

—Sí —dijo Fabián, y añadió cuando estaba a punto
de congelarse: —Adiós Hilaria, quiero que seas feliz—
e intentó tentarla, pero no se puede tentar un humo,
y vio que su mano pasaba a través de Hilaria como a

---

4   Lar: hogar, sitio de la lumbre en la cocina.

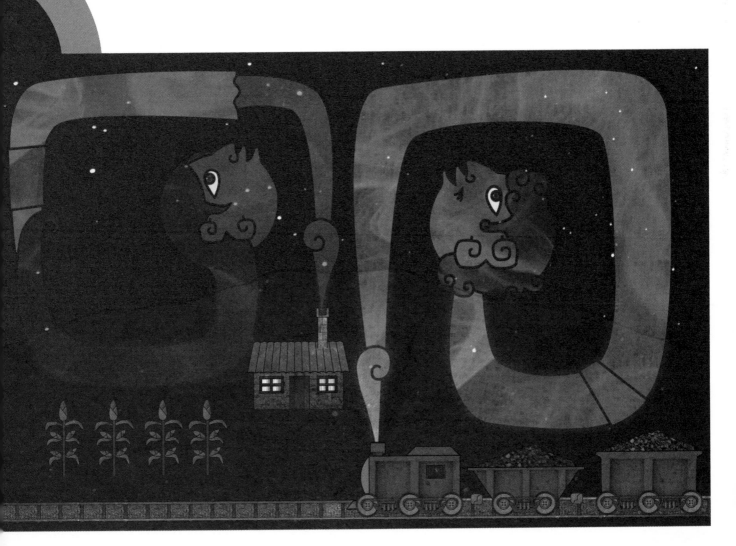

través de un témpano sólo imaginado. Hilaria se encogió rodeándolo, envolviéndolo, y volvió a erguirse por arriba de los pinos. Bajó Fabián presuroso y dijo a los caminantes:

—Hoy no comeremos peras. Ayúdenme a traer cuantas haya en el huerto.

Y algo antes de llegar a la colina el maquinista habló con Ildefonso.

—Ildefonso —le dijo—, nos cambian de ruta, no pasaremos más por aquí. He estado pensando, pero no se me ocurre nada.

Ildefonso venía retorciéndose en bocanadas espesas, contento porque se aproximaba a la colina, y quedó de pronto entontecido, ensanchándose, acostándose casi en los vagos del tren. Así se dejó estar un trecho meditando. Luego se arrastró contra el vendaval de la carrera, agarrándose a las salientes de los techos, se apretujó sobre la máquina y dijo:

—Prefiero morirme a flotar en otros campos, alrededor de otras colinas.

—Lo sé —dijo el maquinista—. Pero ¿qué hago? Tú considera, Ildefonso.

—Ya consideré —dijo el humo, con débil voz. Su aliento olía fuertemente a resinas y raspaba como lija de carbón. Las reflexiones lo habían cansado más de la cuenta.

—Dime —dijo el maquinista.

—Antes de avistar la colina, echa toda la leña y todo el carbón y echa también tu ropa y tus zapatos, dile al fogonero que busque y eche cuanto encuentre, necesito un fuego grande, dame un gran fuego para poder desprenderme.

Y el maquinista le dijo al fogonero. Y el fogonero recorrió los vagones buscando combustible.

Se hacía larga la última luz, se iba acostando y sobre de ella se alzaban las sombras, tentaleantes primero y aprisa impenetrables.

El tren tomó en el valle la primera curva. Apareció la colina. Había luna. Hilaria se elevaba prodigiosamente como la estela de una estrella que ascendiera en vez de caer.

—Ahora —gritó el maquinista al tren y el tren pitó, y se oía crepitar un hondo fuego en la caldera, e Ildefonso, robusto como jamás lo estuvo, se retorcía entre poderosas y fugaces fumaradas.

Se acercaba a la colina el tren, y gritó Ildefonso, viendo atónito a la altísima Hilaria de sus amores:

—¿Duermes?

—Estoy esperando —dijo ella y se balanceó como serpiente celeste. Había felicidad en su voz.

El fogonero paleaba desesperado el carbón.

Fabián y los caminantes arrojaban al hogar costaladas de peras duras.

Rodeando la colina el tren, Ildefonso encogió sus piernas de humo colosal y dio un enorme salto.

—¡Ya voy! —gritó girando, inundando de humo y llamas una considerable porción del cielo.

—Yo también voy —dijo serena Hilaria, y, apoyando sus pies en el perfil de la chimenea, se desprendió de modo natural.

El maquinista, Fabián y los caminantes, el tren y el fogonero, y los hijos y la mujer de Fabián oyeron un suspiro de punta a punta del horizonte. Los caminantes sacaron del hogar las peras más asadas y las iban limpiando. Poco a poco el tren se detenía, y el maquinista encendía su pipa, contento.

Subían muy juntos, entreverándose, oscurecían la luna y seguían subiendo.

El día del mar

María Luisa Mendoza

Guanajuato, Guanajuato, 1930

Escritora y periodista cuyo estilo es muy distintivo. Estudió Letras españolas y Escenografía. Ha sido también comentarista de televisión, guionista de cine, docente y diputada. Dice de sí misma que desde que aprendió a leer y escribir, escribe; que estudió para escribir y para jugar con los perros. Ha sido merecedora de cuatro premios. Algunas de sus obras: *Con él, conmigo, con nosotros tres* (1971), *Crónicas de Chile* (1972), *Ojos de papel volando* (1985). "El día del mar" (1985), lo escribió especialmente para CIDCLI.

Ilustraciones de Elsa Rodríguez Brondo.

Érase que se era una niña llamada Begonia Belén que tenía un perro y quería conocer el mar. Acurrucada en el alféizar de la ventana de su cuarto, junto al perro Andrei, miraban el paisaje donde ambos nacieron: las montañas azules, moradas, grises, verdes, brillantes de espejos de agua en la mañana soleada, suaves y descoloridas al ir anocheciendo; y pensaban en el mar… bueno, ella pensaba en voz alta, y Andrei recibía su pensamiento pensándolo como un caramelo que mordisquear, triturándolo rapidito, haciendo ruidos pequeños de varitas que se quiebran o piedrecitas tocándose en la palma de la mano.

A los niños y a los animales que se han amado desde la emigración del paraíso terrenal y a mis hijas Mendoza: Gloria Elena, Jéssica, Viviana y María Luisa.

Las casas del pueblo se acunaban en la cañada donde parecían estar dormidas, como dados de madera; las casas con sus fachadas y techos, todas pintadas de colores claros al frente, donde están las ventanas, los balcones y las puertas: rosas como los vestidos del día domingo, verdes como las naranjas mandarinas bien

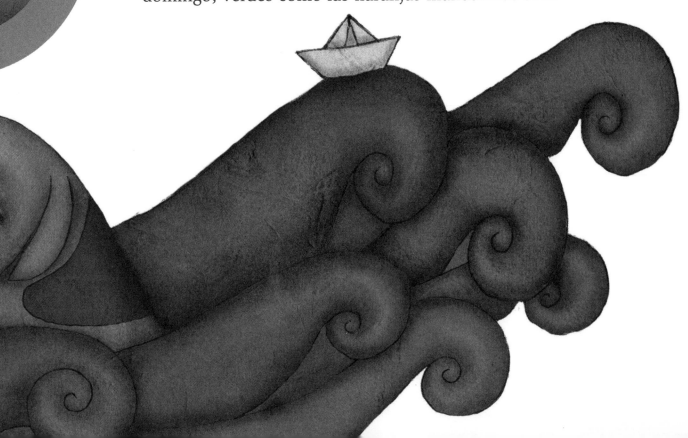

agrias, amarillas como los barquillos de nieve de piña. Las azoteas formaban escalones, como quien dice, blanqueados de cal. Begonia y Andrei vivían en lo más alto del cerro, y por eso jugaban a que eran gigantes que bajaban pisando las azoteas hasta la calle principal y se iban corriendo al mar, y que el mar estaba más allá de la estación del ferrocarril, lo cual naturalmente, no era cierto, pues de allí en adelante era la huerta de Santa Teresa, la vieja haciendo del Ojo de Agua, y los cerros y las serranías, y así.

Cuando Andrei se quedaba dormido, Begonia sentía un frío adentro de ella: el perro parecía estar muerto, y sólo el aleteo de la oreja le avisaba que ya iba a despertar y juntos se irían al mar y a la arena suavecita que dicen hay en la vera de la gran agua, más grande que la café de la presa a donde los llevaban a pasear.

—Mira, Andrei, la casa de doña Carmelucha, es la *E* con su escalera de barandal; la *L*, es la tienda del tejabán donde compramos los tejocotes con piloncillo, los capulines en miel, los garambullos[1] azucarados, el calabazate, y, a veces, cuando no nos ven, las Ramonas, los raspados de hielo copeteados de la grosella más roja que el pedazo colorado de la bandera. La *M* es la iglesia de las dos torres. El kiosko donde tocan la música es la *A*, y la *R*, el palacio de gobierno con los balcones de rejas boludas... Si juntas las letras, ¿qué dicen, Andrei?... Dicen: ¡EL MAR!... ¡el mar!...

Los papás de Begonia eran, desgraciadamente, muy pobres. Pero no tanto como para no juntar de a poquitos para ir con Begonia y su perro a conocer el mar. "Quizá en diciembre, mi hijita", decía el papá... "En las vacaciones", decía la mamá. "¡Guau!", decía Andrei.

---

[1] Garambullo: fruto de una cactácea.

"¡Ojalá!", decía Begonia. Andrei meneaba la cola igual a las olas que siembre están enchinándose el pelo.

Begonia era bonita, no mucho, pues pocos son bonitos bonitos; Andrei era feo, pero no feo feo, que nadie lo es.

Su pelo: zalea[2] de sol con cachos de chocolate que le recordaban a su dueña las estampas de la costa del mar con peñascos oscuros; sus patas fuertes y de uñas muy negras, por abajo tenían lindos, rasposos, tibios cojines curvos que balanceaban su caminar, sus saltos al hueso, a la pelota, a la rosca de pan llamada pucha, que es fofa y con crestas blancas de espuma de mar a las ocho de la mañana. Andrei comía pedacitos de lo que comía Begonia, relamiéndose los bigotes arriba, en la nariz fría,

---

2 Zalea: cuero.

abajo del negro hocico, en las barbas, una y otra vez, como si su lengua fuera un pescadito que saliese al aire a jugar; al bostezar, abriendo tamaña bocota, la lengua se le enroscaba haciendo reír a su ama.

Una tarde en que excursionaba por la barranca, el perro se cayó, dislocándose una pata dolorosamente hasta impedirle caminar… Begonia bajó hasta la saliente que detuvo el cuerpo tembloroso de Andrei y se lo echó encima de su espalda, como había visto, llevan las mujeres del mercado a sus hijos en los rebozos.

Andrei se detuvo de sus hombros con las patas, y los brazos de la niña sostuvieron las ancas del jadeante animalito herido. Niña y perro, en la unión del amor

entre ser humano y animal, los dos, que sienten igual hambre, frío, sed, amor, tristeza, sufrimiento, obra bondadosa de Dios para que el animal sirva y defienda al ser humano. Niña y perro.

Para Andrei, nadie era más bello en el mundo que Begonia, ni una pierna de pollo rostizado, ni un triángulo de pastel de fresa, ni un plato hondo con leche cruda. Para Begonia, las orejas gachas de Andrei, sus ojos vivos, apretados de estrellas, sus bufidos al oler la tierra, las flores, las calcetas de ella, los zapatos del papá, la canasta del mandado de la mamá, significaban un regalo continuo, maravilloso. El perro ladraba ¡guau! en español, y ¡arf! en inglés, como los perritos de las caricaturas, a diferencia de

los animales que hablan un solo idioma: la gallina cacarea, la vaca muge, el toro brama, el león ruge, el pollo pía, las ranas croan, los corderos balan, los grillos estridulan… Andrei también sabía aullar, gruñir, gañir si le lastimaba algo, y lamer humilde y tiernamente la mano de quien lo acariciaba, emitiendo una especie de ronroneo que admiraba a propios y extraños, quienes decían: "¡Es un gato-perro!, ¡un perro-paloma!". Begonia sabía que era una paloma-gato-perro.

Llegó el mes de diciembre y los papás le dijeron a Begonia que no podían viajar al mar porque no tenían suficiente dinero. Del pobre de Andrei ni hablaron, ni siquiera estaba en el plan. Begonia salió con su compañero llorando quedito. No bajaron los techos de las casas como los gigantes, sino lentamente caminaron la callecita que serpenteaba el cerro donde vivían. A paso de tortuga se dirigieron a la presa café, tristeando la mañana, a esa gran olla inmensa, llena de agua color cajeta de leche. Al llegar, se subieron al pretil que circunda la presa, que es calmada como todas las presas, lisita, sin olas; agua nada más meciéndose, como consolándose de no ser mar, ni laguna, ni lago.

—¡Mira el mar, Andrei!... El perro medio cojo después del accidente daba brincos de alegría, acostumbrado a jugar a que las nubes fueran el mar, los árboles fueran el mar, las colchas de las camas fueran el mar, la ropa tendida al sol y colgando del mecate fuera el mar, un vaso de jugo de caña fuera el mar.

—¡Vámonos al mar, Andrei!... ¡Estamos en diciembre y es el día del mar!

Y diciendo y haciendo, Begonia se aventó con todo y su vestido, y sus calzones, camiseta y fondo, y sus zapatos y calcetines, y su moño en la cabeza y su cucurucho de habas cocidas que llevaba en la mano... al mar. Claro que Andrei fue en el aire tras de ella.

El agua helada recibió a Begonia con una cierta hostilidad... Era la época en que nadie entraba a ella, eran sus vacaciones de nadadores, lanchas con remos, barquitos de papel, y cuando más, aceptaba las piedras que los muchachos le echaban desde la orilla para que se deslizaran haciendo gallitos... tras... tras... tras... hasta sumirse y empezaran las ondas a multiplicarse... O dentro de otra O. OOOOOOOOOOO.

Como ustedes pueden imaginarse Begonia no sabía nadar, ni siquiera de "muertito", pero Andrei sí. Había nacido como todos los perros con la virtud de saber nadar de "perrito". Begonia se fue hundiendo sin perder su risa de felicidad, sintiendo solamente el frío en la piel como un segundo traje desconocido y que tuviera una sola pieza: gorro, bufanda, overol y zapatos muy pesados y de hielo. Andrei se sumergió en su búsqueda, la agarró por el cuello del vestido con sus fauces que

cerró ¡clap!, como zaguán con llave. Luchó para emerger a la superficie del agua con Begonia, que seguía riéndose, y empezó a jalarla hacia la orilla. Era su deber, estaba obligado a devolver a la vida a su amada, porque Begonia le dio la vida al salvarlo en el barranco de morir allí tirado, con peligro de que vinieran los zopilotes y le arrancaran los ojos.

—¡No, Andrei, no me saques del mar, vámonos juntos al fondo de la presa que hoy es el mar… dicen que allí hay una ciudad de oro y de plata, con casas de marfil y calles de piedras preciosas, con agua de aire y perfumes de agua, y es tan grande como de aquí al cielo, aire de agua azul con peces y ballenas y caballitos de mar y delfines y pulpos bailarines. No me quites la oportunidad de sentir el mar, aunque sea una sola vez y aunque haga tanto frío!

Cuando Andrei dejó el cuerpo de Begonia que tiritaba de frío sobre el suelo húmedo allá atrás de la presa, en los archipiélagos de tierra con árboles que nunca llegan las aguas a tapar, había nadado tanto que se recostó junto a ella dejando que su corazón estallara como un cohete por el esfuerzo tremendo, tronara como paloma de pólvora de día de fiesta patrio, y el amor se derramara por su interior repleto de amor, como la leche cuando hierve y se sale espumeante, dichosa, juguetona, pachoncita y gotosa escurriendo hasta apagar la lumbre. Su interminable amor de perro escapó por la boca y las orejas… un amor rojo de corazón, precioso, hacia el aire de la tarde, por última vez en su corta, leal, entregada vida de perro.

Begonia volvió llorando a su casa. Traía a Andrei en la espalda. Un Andrei que conforme avanzaba su dueña por las calles se iba poniendo duro y frío como el mármol de las estatuas de perros que adornan la entrada de la ciudad sin mar.

El niño pintor

Marco Antonio Montes de Oca

Ciudad de México, 1932 – 2009

Poeta, narrador y pintor. Estudió Letras en la UNAM y tuvo una destacada labor en el ámbito cultural del país; se dedicó también a la docencia y participó en numerosas publicaciones literarias. Obtuvo varios premios por su extensa e influyente obra poética. Entre sus publicaciones: *Ruina de la infame Babilonia* (1953), *Delante de la luz cantan los pájaros* (1959). *Tablero de orientaciones* (1984). "El niño pintor" (1984), lo escribió especialmente para CIDCLI.

Ilustraciones de Miguel Cerro.

Un niño que se llamaba Daniel golpeó la puerta. Hasta dos y tres veces tocó Daniel sin que nadie contestara. A la cuarta vez su mano golpeó, sin darse cuenta, la frente de una señora que lucía sus primeras canas. El niño le dijo en voz alta que necesitaba decirle algo importante.

—¿Por qué gritas? —respondió la buena mujer.

—Señora, tenga la bondad de perdonarme —volvió a gritar Daniel—, pero una bruja me castigó sin motivo y no puedo hablar en voz baja ni mediana. Tengo que hacerlo a gritos. Me duele la garganta, la gente me molesta, mi mamá me regaña y yo lo siento mucho porque no puedo evitarlo.

—Bueno, ¿y qué quieres? —dijo la señora a quien los gritos de Daniel le parecieron muy bien porque era sorda.

El niño, que tenía la cara un poco huesuda y vestía un traje de marinero, explicó el motivo de su precipitada visita:

—Todos tenemos un espacio vacío entre el hombro y la cabeza, nadie lo usa para nada y quería saber si usted me lo podría regalar.

—Yo no te lo voy a regalar —interrumpió la señora—, porque ese espacio que llevamos siempre como un ladrillo vacío entre el hombro y la cabeza puede ser de gran utilidad.

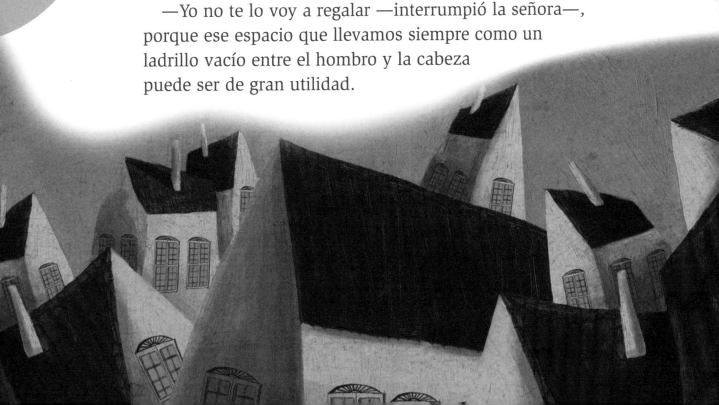

Ya le iba a cerrar la puerta en la nariz cuando algo se le ocurrió a Daniel.

El atardecer, mojado en tinta negra, comenzaba a desaparecer. Un farol recién encendido dejaba caer el haz de sus rayos sobre el umbral de la puerta en que tenía lugar esta conversación.

—Buena señora, bella señora, que no se enoja cuando me oye gritar —dijo el inteligente niño—, si usted me regala ese pequeño espacio yo le daré una aureola[1] pintada por mí para que usted la use y se alumbre cuando camine por las calles sin luz.

La señora se quedó pensando. Imaginó que sería lindo tener una aureola pues no le gustaba usar sombrero y sentía frío en la cabeza cuando salía a la calle. Daniel esperó un poco. Ya no quiso insistir. Tenía temor de irritar a la vecina con su fuerte voz y además era bastante educado. Sabía que las personas mayores se molestan cuando un niño de corta edad insiste demasiado. Había llegado la noche. Algunos papalotes color de plata brillaban a la luz de la luna. Un canario que había escapado de su jaula se posó en el hombro de la señora. Daniel pensó que si la buena mujer le regalaba el anhelado espacio, también podría llevarse al canario. Así que siguió guardando silencio para que no volara el luminoso pájaro amarillo.

Entretanto, los demás vecinos, al oírlo, se acercaron a la puerta: ellos también querían tener aureola. Otros canarios revoloteaban por ahí con la esperanza de posarse en la primera aureola que pintara Daniel. Los papalotes plateados, si bien estaban muy lejos, daban vueltas y más vueltas llenos de curiosidad. A todo esto, el niño seguía esperando a que la vecina hablara, pero la vecina no habló. Entonces Daniel abrió su mochila y comenzó a

---

[1] Aureola: resplandor, disco o círculo luminoso.

pintar muchas aureolas. Luego las cortó con sus tijeras. Unas eran plateadas, otras azules o amarillas. Entonces comenzó a repartirlas y cuando la señora por fin dio una respuesta afirmativa, Daniel ya había adquirido el espacio que miles y miles de vecinos llevaban entre el hombro y la cabeza. Como son dos espacios los que llevamos a izquierda y derecha, Daniel obtuvo doble cosecha. Contento por su éxito, metió los espacios en la bolsa de la noche y también a los canarios. Les puso saliva a las aureolas y como si las hubiera mojado en agua de oro comenzaron a brillar intensamente. Cuando se secó la saliva, las aureolas se habían endurecido y los vecinos se las llevaron a sus casas cantando de alegría.

Daniel se fue también a su casa no sin antes despedirse de la buena señora.

Cuando le platicó a su mamá lo sucedido, abrió la bolsa de la noche que había dejado en el jardín y le pidió que tejiera una colcha con todos los cuadritos de los espacios que había juntado. Su mamá puso manos a la obra, pero eran tantos los espacios que cuando por fin extendió la colcha tejida con tanta paciencia, ésta no cupo en el jardín.

Entonces Daniel metió los espacios cosidos en la bolsa del día y salió fuera de la ciudad con su mamá y su papá.

Los canarios volaban entre ellos, pero el niño los espantó con sus gritos y les dijo que se fueran a parar sobre las

aureolas de los vecinos y que jamás consintieran en vivir enjaulados. Así lo hicieron y desde entonces cantan mejor.

Al llegar a una zona llena de piedras y polvo, Daniel abrió la bolsa del día y comenzó a extender un gran tapete del color del aire. Las piedras estorbaban, pero con buena educación el niño les pidió que dieran unos pasos hacia atrás. Daniel, que estaba muy contento con su tapete, sembró en él grandes árboles y flores maravillosas que crecieron en un instante. Al día siguiente invitó a todos los ratoncitos blancos a que vivieran ahí.

También llamó a los conejos que no cabían en las reducidas casas de sus amigos. Trajo gallinas, gatos de ojos de oro, ardillas, lagartijas, algunos ciervos de cuya cornamenta brotaban flores de durazno y muchos animales que antes sólo habían existido en su imaginación. También había tortugas de concha enorme, sobre las cuales uno puede sentarse y ser llevado de aquí para allá. Quedó todo tan bonito que los papalotes plateados ya no quisieron estar en el cielo y se pusieron a revolotear al lado de las mariposas de aquel hermoso lugar.

Los vecinos iban de visita cada ocho días. Los canarios se aburrieron de la ciudad y se quedaron a vivir ahí. Daniel sembró pasto en su tapete transparente, mas no se conformó con esto: enseñó a todos los niños de su escuela a pintar aureolas y pronto cada niño tuvo un bosque propio situado en territorios robados al desierto.

Muchos niños hacían hoyos en sus tapetes y ahí sembraban fuentes, lagos en que había cisnes negros y blancos. Cuando cada niño tuvo su bosque, invitaron a vivir en ellos a sus padres que tanto sufrían con el humo y el ruido de la ciudad.

Daniel puso un taller para dibujar aureolas. Ahora, todos los niños pueden cambiarlas por espacios verdes que cubran la tierra hasta convertirla en un inmenso jardín.

Historia de un niñito que era dueño de una islita que era dueña de un niñito

Julieta Campos

La Habana, Cuba, 1932 – Cd. de México 2007

Escritora y traductora nacionalizada mexicana desde muy joven. Obtuvo un doctorado en Letras en Cuba y un diplomado sobre literatura en Francia. Combinó sus actividades en diversas revistas literarias con la docencia universitaria. Obtuvo el premio Xavier Villaurrutia (1974) por *Tiene los cabellos rojizos y se llama Sabin*. "Historia de un niñito que era dueño de una islita que era dueña de un niñito", se publica por primera vez en una colección infantil ilustrada.

Ilustraciones de Paulina Barraza.

Había, una vez, una historia. En la historia había un niñito. El niñito, en aquella historia, era dueño de una islita. La islita no estaba ni cerca ni lejos y era, aquella islita, dueña del niñito: así ocurría en un tiempo que era el tiempo de un mundo que era el mundo de nunca acabar. El mundo de nunca acabar era un reino que flotaba, bañado de sol, en el fondo del mar. El mar era inmensamente pequeño y lleno de nubes. Las nubes del mar nacían en la orilla y nadando nadando se iban persiguiendo al horizonte. El horizonte era el confín del sueño. El sueño era azul. El azul se escapaba del sueño y entraba, sin hacer ruido, por las ventanas de otro mundo que era el mundo de siempre acabar. En el

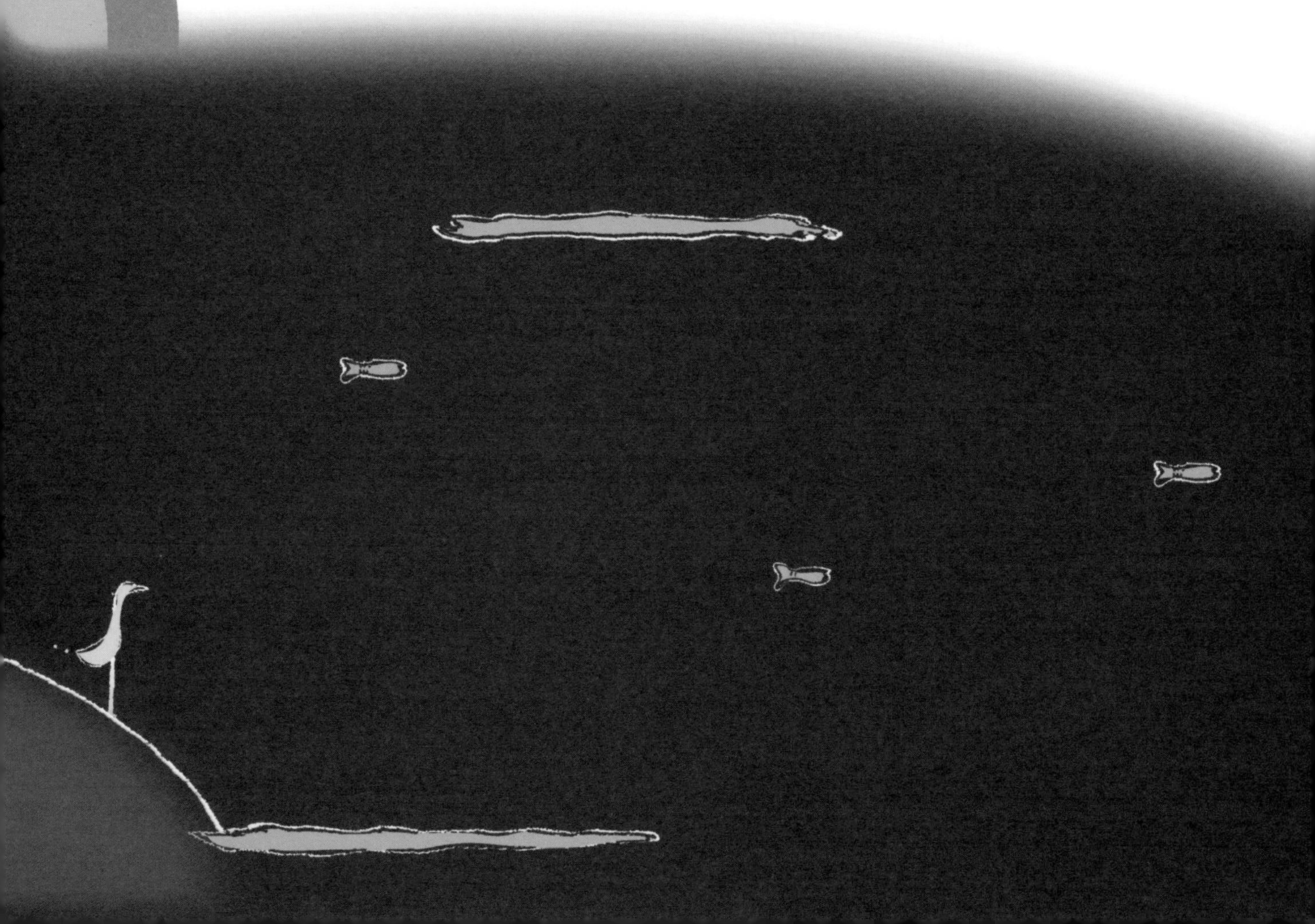

67

Historia
de un niñito
que era dueño
de una islita
que era dueña
de un niñito

68

Historia
de un niñito
que era dueño
de una islita
que era dueña
de un niñito

mundo que era el mundo de siempre acabar las ventanas eran amigas del viento. El viento era amigo del agua de lluvia. El agua de lluvia era amiga del jardín. El jardín, tan inmenso como el mar, era amigo de las mariposas. Las mariposas, innumerables, eran amigas del sol. El sol, redondo, era amigo del cielo y del color amarillo. El color amarillo, insaciable, se colaba por las puertas cerradas y se tragaba las sombras cobijadas en la casa. La casa era amiga de la luna. La luna. La luna era amiga del estanque. El estanque, amigo de la luna y de la casa, era la casa de los peces y los nenúfares[1]. Los nenúfares amaban a los peces que amaban a los nenúfares. Los peces y los nenúfares eran amigos de las estrellas. Las estrellas viajaban tan de prisa por alcanzar a las mañanas que se perdían de vista todas las mañanas. Las mañanas eran amigas de las tardes y se encontraban con ellas cada día, a mediodía. El mediodía no era amigo de nadie. Nadie habitaba la casa cuando el niñito jugaba al escondite, solo, de un cuarto vacío a otro cuarto vacío. La palabra vacío llena de juguetes rotos. Los juguetes rotos eran amigos de un tiempo que se llamaba el pasado. El pasado no era más que otra palabra. Las palabras habían sido devoradas por el silencio. El silencio reinaba en un reino que se llamaba olvido. El olvido no tenía color. El color que no era color era habitado por gatos. Los gatos vigilaban, durmiendo, la entrada que cerraba el tiempo del mundo de nunca acabar. No sabían maullar y tampoco ronroneaban. Cantaban como pájaros: eran gatos llenos de pájaros. Los pájaros que habitaban a los gatos volaban de un cuarto a otro, de un jardín a otro, de una lluvia a otra, de un mar a otro, de un horizonte a otro. El vuelo de los pájaros que habitaban a los gatos

---

[1]   Nenúfares: plantas acuáticas con flores que crecen en lagos, lagunas, charcas, pantanos o arroyos de corriente lenta.

que habitaban el vacío de los cuartos mecía al niñito y lo transportaba, como un papalote sin niño, a una islita entre cerca y lejos. La islita entre cerca y lejos era dueña del niñito que era dueño de la islita que era el revés del mundo de siempre acabar. El desierto que era la islita estaba vacío de arena, de camellos, de cabalgatas de beduinos[2]. Los beduinos no eran más que viento pintado de blanco. El viento pintado de blanco cabalgaba mares infinitamente pequeños, horizontes perseguidos, nubes que eran olas que eran nubes, soles submarinos, reinos que flotaban en el fondo del mar. Así ocurría en aquel

69

Historia
de un niñito
que era dueño
de una islita
que era dueña
de un niñito

---

[2]   Beduinos: árabes nómadas.

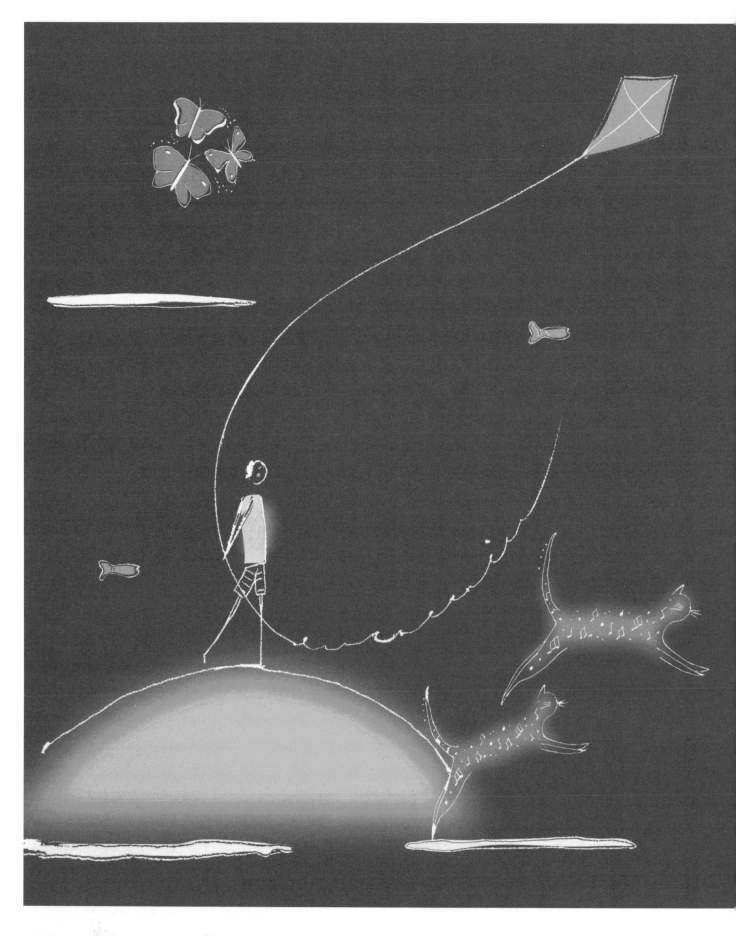

tiempo que era el tiempo del mundo de nunca acabar.
Hasta que, uno a uno, al silencio se le iban escapando,
a gritos, los juguetes, los cuartos vacíos, los mediodías,
las tardes, las mañanas, las estrellas, los nenúfares, los
peces, los estanques, la luna, la casa, las sombras en ella
cobijadas, las puertas cerradas, el cielo, el color amarillo,
el sol redondo, las mariposas, el jardín, el agua de lluvia,
el viento, a tiempo que se iba llenando de palabras.
Las palabras, locas, se metían a empujones y en tropel
dentro del sueño. El sueño entonces, desmemoriado,
dejaba de soñar al niñito. El niñito, abandonado por el
sueño, buscaba a tientas una historia donde meterse.
Era la historia de había una vez que era la historia de
un niñito. El niñito, en aquella historia, era dueño de
una islita. La islita no estaba ni cerca ni lejos y era,
aquella islita, dueña del niñito: así ocurría en un tiempo
que era el tiempo de un mundo que era el mundo de
nunca acabar. El mundo de nunca acabar era el reino
que flotaba, bañado de sol, en el fondo del mar. El mar
era inmensamente pequeño y lleno de nubes. Las nubes
del mar nacían en la orilla y nadando nadando se iban
persiguiendo al horizonte. El horizonte era el confín del
sueño. El sueño era azul. El azul…

71

Historia
de un niñito
que era dueño
de una islita
que era dueña
de un niñito

Morral de Cuentos

Autores mexicanos para leer y releer

se imprimió en el mes de abril de 2013
en los talleres de Editorial Impresora Apolo, S.A. de C.V.,
Centeno núm. 150 local 6, colonia Granjas Esmeralda,
C.P. 09810, México, D.F. El tiraje fue de 2 000 ejemplares.